Aled Jones-Williams

Theatr Bara Caws

Cyhoeddwyd i gydfynd â chynhyrchiad y sioe
yn Eisteddfod Genedlaethol 2004

ISBN 0 9540398-4-X

Os am ganiatâd i berfformio'r ddrama hon,
cysyllter â'r cwmni:
Theatr Bara Caws
Uned A1, Cibyn Caernarfon, Gwynedd
Ffôn (01286) 676335 e-bost:tbaracaws@btconnect.com

Argraffwyd gan Wasg Gwynedd, Caernarfon, Gwynedd
Cyhoeddwyd gan Theatr Bara Caws

'Beneath it all desire of oblivion runs'

– WANTS – Philip Larkin

'A mi a welais nef newydd a daear newydd.'

Llyfr y Datguddiad

'We must never be blinded by the futile philosophy that we are just the hopeless victims of our inheritance, of our life experience, and of our surroundings – that these are the sole forces that make our decisions for us. This is not the road to freedom. We have to believe that we can really choose.'

Bill W. cyd-sefydlydd A.A.

'Heaven's just an opened bottle in a demon's argent mitts Smuggled to my unholy lips…

Barry MacSweeney

'… a visionary flood of alcohol…'

Leonard Cohen

Cyflwynaf 'LYSH' i
Craig, Murray, Brian ac Eddy – therapyddion
ac i Wilma a Hammy – cyd-gleifion

Rhagair

Mae hi'n ddiwedd Ionawr. Dair wythnos yn ôl fe ddois i allan o rehab yn yr Alban. Wedi bod yno – at ei gilydd – am bron i dri mis. Y llynedd daeth alcohol yn ôl i fy mywyd. Pam? Oherwydd i mi fod yn ddigon twp i anghofio fy mod i'n alcoholic. A be' ddigwyddodd wedyn? Llanasd. Uffern. A bron golli bob dim oedd yn werthfawr yn fy mywyd i. Mi oeddwn i a Bara Caws wedi derbyn y comisiwn ar gyfer drama'r 'Sdeddfod. Y syniad oedd gen-i ar y pryd oedd tri dyn mewn ysbyty yn rhannu un gyfrinach. Daeth i fod mai tri alcoholic oedd rheiny. A dyma nhw: Jona Fodca, Ifor a Santa Clôs. A Sandra. (Ynteu un cymeriad sydd yna mewn gwirionedd?) Ar un wêdd alcoholiaeth ydy thema'r ddrama. Ond nid cweit. Y brif thema ydy: Rhyddid. Dewis ymddihatru o beth bynnag sydd yn ein caethiwo ni. A dewis ydy-o. A thaith ysbrydol (ond nid grefyddol!) ydy honno yn y bôn. Pleser dihafal i mi ydy cael bod yn rhan o deulu Bara Caws eto. A finna'n iach. (Neu o leia'n gwella!) Eto! Mae hi hefyd yn ddeng mlynedd ers i mi ennill y wobr ddrama am y tro cyntaf yn yr Eisteddfod. Eisteddfod Castell Nêdd, a *Dyn Llnau Bogs* oedd y ddrama – neu'r sgript, beth bynnag. A pheth braf ydy parhau y cysylltiad – angenrheidiol yna i mi – â'r Sdeddfod a'i phwyllgor drama. Yn Lerpwl y sgwennish i'r sgript honno. Ac yn Lerpwl y bu i mi roid *Lysh* wrth ei gilydd. Nefi blw! Ma gin i rwbath yn gyffredin â Saunders Lewis wedi'r cwbwl.

ALED

Lerpwl a Phorthmadog
Ionawr 2004

gan **Aled Jones Williams**

Jona Fodca:	**Maldwyn John**
Ifor:	**Phil Reid**
Sandra:	**Betsan Llwyd**
Santa Clôs:	**Rhodri Meilir**
Cyfarwyddo:	**Valmai Jones**
Gwisgoedd:	**Janice Jones**
Criw Technegol:	**Gwion Llwyd** **Berwyn Morris-Jones** **Emyr Morris-Jones** **Mandy Parry**
Cydlynydd Artistig y Cwmni:	**Tony Llewelyn**
Gweinyddwraig:	**Linda Brown**

Dymuna Bara Caws ddiolch i
Gyngor Celfyddydau Cymru, Cyngor Sir Gwynedd
Cyngor Sir Ynys Môn, Cyngor Bwrdeistref Sirol Conwy
Cynghorau Cymuned Gwynedd, Môn
Conwy ac ardaloedd eraill

Rhai nodiadau a eill fod o gymorth
i actorion a chyfarwyddydd

1. Miwsig. Mae yna soundtrack i'r ddrama. Dylid ei ddefnyddio – ond yn gynnil.

2. Lleoliad. Mae'r ddrama'n digwydd tu mewn i bob un o'r cymeriadau – felly mae'r lleoliadau yn amrywio. Ond y prif leoliad ydy clinic rehab. O ran amser mae o'n gwibio o'r presennol i'r gorffennol yn ôl mympwy'r cymeriadau.

3. Parodi ar yr 'Ein Tad' ydy 'Tei Rhad' – lle mae Jona yn difrïo safbwyntiau Sandra ond ar yr un pryd yn mynegi ei ing ei hun.

4. Rhwydd hynt i chi newid trefn y deud fel y gwelwch chi yn dda.

5. Y ffilm – *Moby Dick* – defnyddir y darn lle mae'r morfil yn dyfod i'r fei. Dylid – eto'n gynnil – chwarae'r darn yna o bryd i bryd yn ystod y ddrama.

Cymeriadau

Jona Fodca: Maldwyn John
40au hwyr. Crys-T du a 'Guess?' wedi ei brintio arno. Jeans. Trainers.

Ifor: Phil Reid
40au hwyr. Siwt a thei. Golwg dyn yn dechrau mynd yn flêr arno. Ddim wedi siafio ers diwrnod neu ddau. Ambell i sdaen ar ei ddillad. Ond dim byd rhy ofnadwy.

Sandra: Betsan Llwyd
40au. Therapydd (ac yn y ddrama rôl Corws). Wedi ei gwisgo'n smart.

Santa Clôs: Rhodri Meilyr
40au. Wedi ei wisgo drwy'r adeg mewn siwt Santa Clôs. Hen siwt wedi gweld Nadoligau gwell.

Set

Gofod.

Y llawr yn llawn o deganau plant (tedi bêrs, dolis, gynnau plastig ag ati) a photeli alcohol gweigion.

Ceffyl pren wedi ei oleuo'n ffyrnig.

Drychau – dau – mawr. Y cymeriadau'n pasio'r drychau yn aml. Oedi ynddynt. Silowet eu cyrff ond eglurder eu hadlewyrch. Rhaff yn hongian o'r nenfwd. Jiwcbocs o'r 60au.

Flip chart.

Coeden 'dolig artiffisial wedi raflo.

Nifer o deliffons wedi malu – hen rai du.

Yn y pen draw sgrîn ffilm.

Ar y cychwyn mae'r sgrîn yn olau – ond golau pŵl. Silowets poteli'n enfawr hyd y sgrîn a'r llawr.

Sŵn plant yn chwarae gêm.

Sŵn dîs yn cael ei ysgwyd a'i ysgwyd.

Lleisiau'r plant: 'Dau! Chwech! Pedwar! Un!'

Cadeiriau aliwminiym sy'n troi rownd – tair. Yn eistedd arnynt mae Jona Fodca, Ifor a Santa Clôs.

Mae Sandra ar gefn y ceffyl pren.

Tywyllwch

The Sun Ain't Gonna Shine Any More *– The Walker Brothers yn chwarae yn dawel i ddechrau yna'n uwch.*
Y sgrîn yn goleuo. Miwsig yn diffodd.
Ffilm ***Moby Dick.***

Saib

Jona Fodca'n troi rownd ar ei gadair. Diffodd y ffilm. Chwarae'r ffilm hwnt ac yma hyd y ddrama.

Jona Fodca: Galw fi'n Jona...
Jona Fodca!

Troi'n ôl ar ei gadair.

Sandra:
(Ar gefn y ceffyl Yn siglo'n araf. Heb deimlad)

Gee ceffyl bach
yn cario ni'n dau
Dros y mynydd
i hel y cnau
dŵr yn yr afon
a cherrig yn slip
cwympo ni'n dau
O! dyna chi dric.

Ifor:

Drwy'r ffenasd mae'r lleuad fel medalion ar frest bownsar y nos. A tatŵs y goleuadau hyd freichiau'r ddinas. A ma' lysh yn galw. YN GALW. O'r clybiau. O'r pybs. O'r offi. Dwi'n dŵad. Dwi'n dŵad. Lyshys. O! Lyshys
(Y gair 'Lysh' i'w glywed fel sŵn tonnau'r môr).

Santa Clôs:
(Ysgwyd dîs. Taflu. Yn ddiymadferth)

Ho! Ho! Ho!
Heno! Heno! Hen blant… *(saib)* bach *(saib)* Ho! *(ysgwyd y dîs)*

Sandra:
(o'r flip chart fel Corws)

Afiechyd y teimladau ydy alcoholiaeth yn y bôn.
Mewn geiriau eraill ni fedr yr alcoholic fyw hefo'i deimladau.
Ei theimladau negyddol.
Megis –
dicter,
euogrwydd,
cywilydd.

Neu hefo poen o unrhyw fath.
A be' mae alcoholic yn ei wneud hefo dicter, euogrwydd, cywilydd? A phoen?

Newid y ffordd y mae o'n teimlo ar fyrder.

Drwy alcohol.
A chreu ynddi/ynddo ei hun
hapusrwydd ffug a heddwch ffals.
Ac fel yr â'r amser heibio y mae'n
rhaid i'r alcoholic wrth fwy o alcohol
i greu yr un teimladau ffuantus.

A mwy a mwy a mwy.
Hyd nes yn y diwedd y mae'n rhaid
i'r alcoholic yfed yn unig er mwyn
cael gwared ag effeithiau alcohol ei
hun.
Effeithiau megis
y cryndod yn y dwylo
y chwydu ben-bora'
y chwysu ganol nos
y düwch mewnol sy'n dduach na'r
nos ei hun
y morgrug neu'r llygod mawr
neu'r seirff
sy'n crwydro ei holl gorff i gyd.
Y mae i'r alcoholic ddau ddewis
Mendio
neu
Marw

Ifor: *(yn chwilio ymhlith y teganau a'r poteli)*
Dwi'n 'oer'?... Dwi'n 'boeth'?...
Cym-on gwtji-gŵ...
Lle ma' hogan, Dad?
...Ty' 'laen, babi gwyn clws,
Dadi-o... Gwgws mêl... Dwi'n
'boeth'? Dwi'n 'boethach'?...

POETH!... POETHACH!...
Dwi'n oer!... Dwi'n oer!...
Oer fel sdyllan... Oer fel twtsiad côt minc Mam yn y wardrob sdalwm...
OER!...
OER!...
(Dechrau mynd yn gynddeiriog. Yn sydyn ymdawelu. Cael hyd i be mae o isio – potel gyfa' o fodca wedi ei chuddio mewn tedi bêr mawr)... 'Ma chdi!...
Dad yn gwbod yn iawn lle o'dd 'i hogan o 'n doedd *(mwytho'r gwydr)*...
Fel twtsiad clun... *(Yfad yn wyllt) Edrych arno'i hun yn y drych.*
Ti'n edrach fel Ray Milland.
A dwi'n teimlo fel Hughie Green.

Gweiddi

Dwi'n mynd!... Mynd!...

Sandra: Ti ddim yn mynd i nunlla.

Ifor: Ond 'do's 'na neb yn mynd i nunlla.
Pawb yn mynd i rwla.

Sandra: *(yn dal cês a'i gynnig i Ifor. Nid yw Ifor yn ei gymryd)*
A dyma fo dy rwla di.
Detocs a Rehab...
Yno erbyn unarddeg...

Ifor: 'Na chdi gomedians oedd rheiny...
Detocs a Rehab... Noc! Noc!...
'Pwy sy' 'na?'
Martini!
'Martini! Martini, pwy?'
Martini'n cosi!'... Dic Detocs a
Ronnie Rehab... Ti'n 'i cofio nhw?...
Holides lle o'dd hi dwa'?...
Nineteen sixty six. O'dd Mam a Dad
'di methu ca'l ticedi i weld Jimmy
Clitheroe a Joseph Lock a be' gytho
nhw o'dd sioe Dic Detocs a Ronnie
Rehab. Ar y prom mewn cwt pren yn
Blacpwl...
A lle 'utho nhw wedyn –
Y Dic Detocs a'r Ronne Rehab 'ma –
ond uplights, upstage, downmarket
i'r hen Astra yn Landydno. One
Night. One joke. One laugh. One
death and lord of us all... Dwi ddim
yn mynd, gwael... Ma' gin i ddarlith
i'w thraddodi heno. Darlith ar
ddramâu Jonathan Watkin Ellis – neu
i'w ffrindiau – y bosom pals...
Jona Fodca!

Sandra: A phwy fydd yn dy ddal di' fyny?

Ifor: O'r hen gnawas fach i chi!
Gwranda ar y dechra'!...
Be' ti'n feddwl?... Deud y gwir
'wan... Bob amsar deud y gwir:

'Foneddigion a Foneddigesau...
Hanfod drama ydy' amwysedd
moesol...'
Mm? Ta ydy' hwn yn swnio'n well?
'Hanfod drama, Foneddigion a
Foneddigesau, ydy' amwysedd
moesol...'
Ia? Be' am hyn ta?
'Fel y gwyddoch chi, amwysedd
moesol ydy hanfod drama,
Foneddigion a Foneddigesau.'
O! mor hyblyg ydy'r iaith Gymraeg i
fedru deud dim ynddi hi. A! bygro
fo...
'Mewn drama fel mewn bywyd
ma' pawb yn ffwcio'i gilydd – o leia'
yn eu meddyliau –cors chwant – tria
ddeud hynny pan ti 'di meddwi – fel
y gwyddoch chi'n iawn, Foneddigion
a Foneddigesau...'
Wmgawa!
Mae 'Ifor i'w wraig'
'Jed Lysh i'w fêts' yn eich gadael chi!

Adieu!
Exit!
Wmgawa!

(Mae Ifor yn swingio o'r ffordd ar y rhaff gan wneud sŵn Tarzan. Drwy gydol y ddrama mae Ifor yn cyffwrdd y rhaff, yn chwarae o'i chwmpas ag ati.)

Sandra: Dwi 'rioed wedi'ch gweld chi'n crïo.

Jona: Ma 'na wahanol ffyrdd o grïo.
Crïo hefo geiria'…
Crïo hefo tedi bêr…
Ma' tedi'n crïo, Mam…
Sbiwch, Mam, popo ar tedi…

Sandra: A lle ma' popo'r tedi mawr sy'
o mlaen i…

Jona: Ar y mhidlan i, Mami…

Sandra: Rhyw felly…

Jona: Rhywbeth… MAWR – neu FACH…
yn poeni pawb.

Sandra: Secs.

Jona: Pryd? Rŵan? O flaen y tedi bêrs
'ma i gyd? Ta wedyn?

Sandra: Ma'ch iau chi mewn cyflwr difrifol…

Jona: *(wrth y tedi bêr)* Lle ma' dy iau di dwa'?
'Mi gwcith dy Dad o!' A Nhad yn
ffrio'r iau a'r nos Iau i swpar a Mam
wedi mynd allan. A hwnnw ddim
wedi hannar gneud. Yn biwsgoch yn
y canol. Nes codi pwys ar rhywun. A
dwi'n meddwl am yr emyn: 'Âf yn

fore dan yr iau'. A geiriau Iesu Grist: 'Fy iau sydd ysgafn'. A Dydd Iau Cablyd a Difiau Dyrchafael *(wrtho'i hun)* Dwi'n teimlo f'ochor lle mae'r boen. A dwi'n gwbod fod yr iau ychydig bach o dan yr ysgyfaint. Rwbath yn debyg i siâp Ynys Enlli lle bydda ni'n mynd bob blwyddyn. Hi a fi a'r plant. A Maen Iau wrth ymyl Enlli. Ydwi'n dechra mynd yn felyn? 'Fel saffrwn,' medda llais Mam yn y ngho' fi. Edrychaf ar fy llygada yn y drych. Ma nhw'n dal yn wyn. *(wrth Sandra)* Sbiwch! Ma'r lleuad mor wyn â gwaelod cwpan styrofoam!

Sandra: Ond ma' hi'n ola' dydd...

Jona: Chi sy'n deud hynny.

Sandra: Yda chi wedi meddwl lladd 'ch hun?

Jona: O! do!... Fe fu bron i mi ladd 'n hun wrth withio un waith... A dro arall mi laddish-i 'n hun yn papuro wal... A mi fydda Mam yn deud w'tha-i o hyd... 'Watsia di ladd dy hun rŵan...' Pam o'dd Mam yn deud hynny da chi'n meddwl?... O'dd hi'n gweld petha' dw'ch?... A Procol Harum yn canu ***A Whiter Shade of Pale*** yn gefndir iddi hi...

Sandra: Ti 'di bod yn yfad eto!

Ifor: 'Eto'! Ma' 'eto' yn golygu – awgrymu, hyd yn oed – mod i wedi sdopia ac wedyn ail ddechra'... 'Cyn'... 'Wedyn'... 'Eto'... Dalld be' sgin-i?... Ond tydw-i ddim wedi sdopio, weldi... Felly do's 'na ddim 'eto'... Yn y cyswllt yma gair llanw ydy-o... Rhaid i chdi ddeall semantics lysho.

Sandra: Cym' banad nei di!

Ifor: Ma'r siwgwr yn rhy ffycin melys yn y te, dydi! Pryn siwgwr llai melys tro nesa'. A wedyn mi gymra-i banad...

Sandra: *(Yn synfyryrgar)* Eto...

Jona: A Procol Harum yn canu ***A Whiter Shade of Pale*** yn gefndir iddi hi...

Sandra: Be'?

Jona: Chi ddudodd 'eto' w'tha-i... A dyma fi'n deud eto be' ddudish-i gynna' wtha chi... sef y busnas 'na am Procol Harum...

Sandra: Dwi'n medru esbonio pawb ond fy ngŵr fy hun... Ddylai o ddim...

Oherwydd fod ganddo fo fi… Ddylai o o bawb ddim fod angen llymeitian… Oherwydd fod ganddo fo fi… FI… Ond hwyrach na tydw-i'n ddim byd ond inc. Inc rhywun arall ar bapur rhywun arall. Efallai… fel yr ydw i'n siarad… fod rhywun yn fy sgwennu i i fodolaeth… Ac y medar o fy niddymu fi mor rhwydd â chodi ei law sy'n dal y feiro o'r papur gan adael ar ôl ond y gwynder… ac mai'r cwbwl mae Ifor yn ei neud ydy ynganu'r sgript… Fod yna ryw fasdad wedi rhoi geiria yn ei geg ynta hefyd… Rhywun allan yn fancw sy'n trio creu synnwyr o lanasd ei fywyd ei hun drwydda ni *(yn ddychryn i gyd)* …Ifor!… Ifor!… IFOR!…

Ifor: Ond hwyrach fod yr awdur wedi marw a'r sgwennu'n cario 'mlaen ar ei liwt ei hun… Y?… 'Na chdi syniad… geiria heb bobol.
Hei chdi *(wrth Sandra)* Be' sy'n mynd trwy feddwl hwran pan w't ti ar 'i phen hi?… Wel deud!… Be' sy'n mynd trwy dy feddwl di…? Deud! Fi ddudodd hynny, ia…? Sori! … Presant i chdi… Poscard o'r Cwin Myddyr… Deceased… Yr hen garpan… Morte… *(rhoi postcard o'r Cwin Myddyr i Sandra).*

Sandra: *(yn sydyn)* Ifor! Pam ti'n yfad fel ag yr wyt ti?

Ifor: Am 'i fod o'n neis siŵr dduw. Fel siwgwr *(yng ngwyneb Sandra)* Siwgwr!

Saib

Ifor: Neb yn y bar ond chdi a'r barmaid. Tua saith ar noson o aea'... Sŵn sacsoffon... Sŵn rhew yn tincial yn y gwydr... Ogla lemon... Lliw cherries... Yr optic yn ffwcio'r glás *(gwneud ystum hegar glás yn erbyn yr optic)*... Ogla gín... Shd! – y – soda... One for yourself, love... 'Ta!'... A ma' hi'n tilio... 'You've killed your change, luv'... Dy hi ddim yn brysur yma heno. 'Don't speak Welsh. I'm from Manchester.' I've been to Manchester, dwi'n 'i ddeud... 'Have you!' medda hi. Yes, dwi'n 'i ddeud yn ôl. Hulme. Like Sir Alex Douglas. Ac ysgwyd y gwydr i glywed y rhew yn gneud sŵn fel clec tafod yn erbyn top cec. *(gwneud y sŵn)*
Ond 'do's 'na ddim rhew ar ôl. Na gín ar ôl. 'Does 'na ddim byd ar ôl. Another, love. And one for yourself. I'd like to give you one dwi'n 'i feddwl yn Susnag. I'm supposed to be giving a lecture dwi'n 'i ddeud.

'Is that a talk,' medda hi. Sort of, medda finna. I'm an airline pilot dwi'n 'i ddeud wrthi hi. 'I know,' medda hi, 'we get at least three a night. You've killed your change again.' I've killed a lot of things dwi'n cyfaddef heb ddeud dim. A ma' hi'n sdacio'r Britvic. A'i thin hi fel bull's eye. A ma' Elvis yn canu ***Love me tender, Love me do***.

Dwi 'di deud wtha chdi ma'r siwgwr ti'n 'i brynu yn rhy felys. *(Yn edrych o'i gwmpas)* The lure of warm lit-up places, medda fi wrthi hi. Seamus Heaney said that, medda fi wedyn. 'Did he,' medda hi. A dwi'n mynd allan i'r pafin glyb. Lle ma'r Boeing 707 yn disgwyl.

Santa Clôs: Ho! Ho! Ho! Plant! *(ysgwyd dîs. Taflyd)* A be' ti isio gin Santa Clôs... Be'?... Wendy House? Peisdri set? Barbi? My Little Pony? Llesdri-tê-plastig-pinc? Dillad nyrs? Bẃtîs? Johnny Seven?... Be'?... Ipyn bach o'r lemonêd yn 'i bocad o... Na-na-na-na! Mond i Santa Clôs ma' hwnna'... *(joch o'r botel fodca yn ei boced o)*.

Santa Clôs dros y 'Dolig. A'r dyn Klenn-Eze rhwng hynny a'r Pasg. A dyn eís-crîm yn yr ha'... A'r Hydref? Pan fo'r dail yn disgyn. 'Wbath ga-i, duw! A fi ydy Santa Clôs dros y 'Dolig. A'r dyn Kleen-Eze rhwng hynny a'r Pasg. A dyn eìs-crîm yn yr ha'... A'r Hydref? Pan fo'r dail yn disgyn. 'Wbath ga-i, duw. A fi ydy... *(ysgwyd y dîs)*

Jona: Mam! 'da chi'n cofio'r hen gi gwyn tjeina 'nw? Un o bâr. Hefo cadwyn aur a chlo aur yn ffêdio am ei wddw fo. Hwnnw nesh-i falu'n dipia' ar ddamwain wrth ddringo i ben y dresal. A finna ofn ca'l cweir gynno chi. Ond ches i ddim. Ddylsa mod i 'di ca'l cweir, Mam! Yn dylsa? Ond chesh-i ddim. Finna'n igian crïo w'th ddeud w'tha chi. Ma' hwn 'di malu'n racs, Mam! A chitha'n deud: 'Damwain oedd hi, 'sdi! Mae o'n dal yn gyfa' yn 'y nychymyg i. Witjia di befo.' A finna'n teimlo mor ffeind o'dd 'ch geiria chi. Fel petai iaith yn medru mendio petha. A medda chi wedyn. 'Dwi'n 'i gofio fo'n gyfa 'sdi,' a ngwasgu fi i gynhesrwydd 'ch bronna chi... MA' HWN 'DI MALU'N RACS...

Sandra: *(ar y ceffyl pren)*

Gee ceffyl bach yn cario
ni'n dau dros y mynydd i hel y…
Ond fi o'dd y chwaer fawr
Fi.
Ty'd ti rŵan!
Ty'd
Da ni'n hwyr…
A mi fydd Dad o'i go'…
A Mam yn dechra myllio
am 'i bod hi'n twllu ac yn meddwl
ddylsa hi ffonio'r hosbitols…
Ty'd!…
Ty'd!…
… cnau'
dŵr yn yr afon
a cherrig yn slip
cwympo ni'n dau
O! dyna chi dric.
TRRRRIC!

A'r byd i gyd yn llawn o dricia. Buan y sylweddolish-i fod pob dim yn cario mwy nag un ystyr. Llaw oedd yn mwytho un munud oedd yn peltio'r munud nesa'. Fod deud un peth bownd o olygu rwbath arall. Y gallsai yr un-un gair o fewn yr un-un dwrnod newid ei ystyr yn llwyr. 'Yda chi'n barod am y *wers*?' medda'r athrawes ben bora a 'mi ddysga-i *wers* i ti,' medda Mam gyda'r nos.
Fedra chi ddim ymddiried mewn

geiria. Tydy iaith byth yn saff. 'Duw Cariad Yw,' medda Mam o gledwch pitj-pein ei sêt yn y capal. A finna'n nabod y Basdad Brwnt oedd yn lojan yn ei hemosiyna hi ac a fyddai'n hyrddio'i hun yn aml yn nillad Mam a hefo gwynab Mam drwadd i rŵm ffrynt 'y mywyd i a ngadael i'n gleisia'.

Mi oedd hi'n lot saffach dan glo tu mewn i Fi fy hun. Yn deud dim. Mond gwatjad. Heb bobol fawr. Heb eiria dan din pobol mewn oed. Yn sbecian am allan ar y ffasiwn boen allan yn fan'cw. A bod rhwbath-mawr-o'i le allan yn fan'cw. A bod iaith yn llawia hefo'r rhwbath-mawr-o'i-le hwnnw. Mi o'dd 'na rwbath yn fochynaidd am siarad beth bynnag: geiria sdêl oedd 'di bod eisioes yn gega pobol erill. Ych-a-fi. Ond tydy na distawrwydd na'i bardnar mudandod ddim yn ddewis i neb byw. Ma raid i mi drio deud rwbath. Mentro geiria.
(Wrth Jona)
Yda chi'n medru enwi'ch poen?

Jona: In-growing toe nail, 'achan.

Sandra: Rwbath yn mynd i mewn i'r byw felly.

Jona: Ffansïo rwbath yn mynd i mewn? Yndach? Ngenath i!

Sandra: Be ydy'r dolur yno chdi y mae dy eiria di'n sumtomau ohono fo? Ngwash-i?

Jona: *(yn gweiddi tuag at Sandra)* Be' ydy' dy boen di!
Shd! Ma' Bob Dylan yn niwsans
yn 'y mhen i yn canu Lay Lady Lay.
O'r jiwcbocs yn y bambocs. ***Wild Thing. Oh! Pretty Woman. You don't have to say you love me. Silence is Golden. You've got your troubles. Baby, now that I've found you. Somebody help me. Sha la la la lee.***
Shd! Ma bywyd rhy fyr, Leidi Lay.

Sandra: A mi w't ti'n trio'i neud o'n fyrrach. Pam? PAM?

Jona: Gas gin i atebion. Ma nhw'n dŵad a phetha i ben.

Ifor: Dwi'n caru ngwraig, ti'n dalld – dwi'n 'i sibrwd wrth y gín. A ma' gín yn uffar o wrandawr da. Byth yn atab yn ôl. Mond rhyddhau dy dafod di i ddeud mwy o dy sicrets.

Dwi'n caru ngwraig, ti'n dalld. Fyddai ddim yn iwsio tonic, y dyddia yma. Yn y gín. Ma' tonic fatha condom. Yn merwino'r gic. Dwi'n caru ngwraig. Dwi'n 'i ddeud w'th y gín di-gondom. Iesu Grist bach dwi'n 'i charu hi. A ma'r gín yn dalld. Dwi'n medru crïo yng nghwmpeini gín. A sôn am y ngwraig. Mor ffantasic ydy' hi. Another, love. Ti'n medru ca'l sgyrsia uffernol o ddiddorol hefo barmaids. Do you know the Everly Brothers, love?... Iesu Grist bach!... Jesus wasn't a tall man was he?...

Sandra: *(wrth y flip* chart Corws)
Dyn y cymryd drinc.
Drinc yn cymryd drinc.
Drinc yn cymryd y dyn.
Dyna'r daith alcoholic.

Jona:
Mae yna geudwll yno-i.
Chwarel yn fy emosiyna-i.
Rhyw dwll Dorothea difäol.
Y mae'n rhaid i mi ei lenwi fo, a'i lenwi fo, a'i lenwi fo, a'i lenwi fo a'i LENWI FO. Ond fedra-i ddim. 'Does yna ddim pall ar 'i chwant o. Na'i ddyhead o.
Ond nid y fi sy'n gneud y llyncu.
Cael fy llyncu ydw-i. Gan forfil

alcohol. I'r düwch. I'r tryblith du. A ddoi byth allan. Fi. Jona Fodca. Byth. I dir sych wedi tridiau. Ond cael fy nal o hyd ac o hyd ac o hyd ac o hyd gan y syched anferth tu mewn i mi. Fel ambwsh. Fel hen gowboi drwg tu ôl i ddrysau swingio salŵn mewn westyn yn saethu'r sheriff yn ei gefn. Potal o fodca hefo wynab Lee van Cleef.

Ifor: Dwi'n mynd i nôl torth, cariad. A dwi'n dychwelyd dwrnod wedyn. Lle ydw-i? Yn y ngwely! Ond tydw-i ddim yn sâl. Be dwi'n 'neud yn fan hyn? Pryd ddois i i fan hyn? Pryd oedd ddoe? Ac fel gwyrth mae'r dorth wedi troi'n botal fodca wag wrth 'n ochor i. A dwi'n codi rwsud. Gwisgo rwsud. Cerdded rwsud. Mynd allan rwsud. I nôl torth arall. Torth o wydr.

Sandra: *(wrth y flip chart Corws)* Yn ôl Carl Gustav Jung 'afiechyd ysbrydol yw alcoholiaeth gyda'r awch am gyflawnder wrth ei wraidd.' Fe ddywedodd o hynny wrth Bill W. Un o sylfaenwyr A.A. Alcoholics Anonymous.

Ifor: Neu'r Automobile Association. 'Does 'na fawr o wahaniaeth rhwng hen nag o gar a nag o ddyn. Fedrwch chi ddim trwsio'r naill na'r llall. Right-off bob un.

Santa Clôs: *(ysgwyd dîs)* Deialu am gariad fydda-i. A thalu amdano fo. 'Be' ydy'ch job chi fydd y ddynas ddiarth noethlymun yn 'i ddeud?' Ffaddyr Crismas radag yma o'r flwyddyn, dwi'n atab. 'Dwi 'rioed wedi cysgu hefo Ffaddyr Crismas o'r blaen,' medda'r geg yn y wyneb newydd, ifancach ar yr un un hen gorff gwaith a'i dricia sdêl. A dyma fi'n 'i theimlo hi a theimlo ynddi hi yr holl gariad oedd yn bosibl. Ond nid i mi. Rhywbeth i rywun arall ydy' cariad. Cash transaction ydy'r cofleidio cogio bach yma. 'Paid!' Peltan! Pwniad! Pwsh! Na! – mawr yn powndian ar hyd 'y mywyd i. ''Dw't ti ddim digon da! Ti'n hyll! Ti'n hogyn!' Cadair wag oedd dwrnod 'Dolig i mi. Roedd yna bresants ond nid presanta' i hogyn. Roeddwn i'n gorod dychmygu'r anrhegion y liciwn i fod wedi eu ca'l. Gynnau i saethu pobol. Cyllith plasdig i'w trywanu nhw. Siwt gowboi i guddiad ynddi hi. Siwt plisman 'Merica i ddangos fy awdurdod. Hen gatalog Kays oedd ffynhonnell fy nychymyg i.

Y tudalennau tois. Lliwiau pell y tois yn pastynu fy llygid i. Yn fy mhryfocio fi. A ngadael i'n wag. Dwi wedi byw hefo gwacter erioed.

Jona: 'Jona! 'Ch tro chi i ddarllen o waith Mr. T. Rowland Hughes – *Chwalfa*.' Chwalfa, Miss. Chwalu, Miss. Ar chwâl, Miss. Disgyn, Miss. Petha'n disgyn, Miss. Dadfeilio, Miss. Murdduno, Miss. Malurio, Miss. Malu, Miss. Malu'n racs, Miss. Ar goll fel petawn i wedi colli map pwy ydw-i, Miss.

A chroeso i'r rhaglen
'Pwy ydw-i'n ei Ddynwared?'
Ac i chi wrandawyr/wragedd adre'
dyma'r cliw:
Y fo ydy' alcoholic enwoca' Cymru.
(Rhoi cap sdeshon-masdyr o'r 19 Ganrif am ei ben. Chwythu chwisel. Chwifio fflag).
Wel?
Mwy o gliws?
'O! Manchester. Manchester! O! my Manchester!'
Na!
Un cliw bach arall ta.
(Mae'n arllwys fodca o botel ar ei esgid ac wrth wneud adrodd)

'Nant y mynydd groyw loyw
Yn ymdroelli tua'r pant
Rhwng y brwyn yn sisial ganu
O! na bawn ni fel y nant.'
Ia! Ia!' Da chi'n iawn!
Alcoholic enwoca' Cymru ydy: Mr
John... Ceiriog... Hughes...
'Dowch rŵan, Jona, adroddwch chi'r
gerdd ar gyfar y Sdeddfod...'
Nant y mynydd, Miss... Groyw
loyw... Miss... Groyw... loyw...

Sandra: *(ar y ceffyl pren)* '... dŵr yn yr afon
cwympo ni'n dau'
Ond nesh i drio'i achub o!
Wir yr! Wir yr! Wir yr!

(i'r llwyfan)

Damia chi dwi'n trio'ch achub chi.
Pam na adw'ch chi i mi 'ch achub
chi? PAM?

Ifor: A ma' hi'n gorwadd wrth 'n ochor i.
Dwi'n deffro ac yno mae hi. O lle
uffar dda'th hon? Ond be' ydy' 'i
henw hi? Dwi'n nabod y bronna' ond
be' ydy'r enw? Yn 'y meddwl i ma'
gin i lond drôr o enwa'. Take you
pick. Hefo Michael Miles es dalwm.
Ti'n cofio. TAKE YOUR PICK.

Bocs thyrtîn 'Open the box!' Ac o'r drôr dwi'n take my pick. Jên ydy'r label dwi'n 'i roid arni hi. Helo-Jên-clên-ben-bora'-o-blith-yr-enwa'. Ffyc off Jên.

Jona: Dillad gwely 'n pwyso tunall. Codi. 'Nôl i'r gwely. Cau llygid ond byth yn cysgu. Cau petha allan. Ond tu mewn ma' nhw. Sut mae cau allan petha' sy'n cnewian y tu mewn. Troi geiria'n betha brwnt. Min ar bob gair i fedru agor ei chnawd Hi. Cyllith geiria'. Lli gair. Cun gair. A'r gora' tan y diwadd. Jysd pan ma' hi'n mynd trw' 'r drws. Gordd gair. Blynt insdriwment y frawddeg. Ac mae hi'n gorrwedd yn slwtj hyd lawr fy emosiyna' i. A ddaw 'na 'run ditectif o hyd i'r corff. Mond rheithgor 'i llgada llawn dagra' hi. Dillad gwely'n pwyso tunall. Codi. 'Nôl i'r gwely. Cau llygid…

Sandra: *(o'r ceffyl pren)* Mam! Dwi'n gwbod enwa' llyfra'r Beibil i gyd… Genesis… Ecsodus… Numeri… Lefiticus… Deuteronomium… a Mathew a Marc a Luc a Ioan a Job, Titus a Timotheus, Esra, Nehemeia a'r Sallwyr… Ga-i ddŵad allan o fy

sdafell rŵan… Pam ’da chi yn fy nghosbi fi… Nes i drio ngora’… Nes o’n i’n ’lyb socian…
Dŵr yn yr afon
A cherrig yn slip…
(Corws)
Yn ôl Jung eto: ‘mae eich cyfrinachau chi yn eich cadw chi’n sâl.’

Ifor: *(wrth y drych fel y medrir gweld Ifor a’i adlewyrch)*

’Does ’na ddim poen mewn alcohol.
Dwi’n troi’n lliwia’r enfys.
Yn rhwbio ’moch yn y porffor.
Byseddu’r melyn. Arogli’r coch.
Bod tu mewn i wyrdd.
Anwesu glas-lliw-duw.
Dyna i ti be’ ma’ drinc yn medru’i ’neud i chdi. Paid a cwilio’r basdads sy’n deud fod drinc yn ffwcio dy fywyd di. Dy fywyd di sy’n ffwcio dy fywyd di nid y drinc. Dy ddad-ffwcio di ma’ drinc. ’Na chdi ddêud da ‘dad-ffwcio’. Rhaid i mi gofio hwnna. Helpu ma’ drinc. Gneud petha’n glir. Hefo drinc ma’ geiria’ ’n troi’n geffyla rasio yn dy geg di yn llamu’r brawddega’. Geiriau’n fflamau sy’n ysu profiadau’n goelcerth eirias. Meddylia’ am Dylan Thomas, Hemingway, Behan, Scott-Fitzgerald a Berryman. Sbia be’ ’nath drinc i’w geiria’ nhw. Ŷf a mi ge-i di weld. Fi

ydy'r addolwr yng nghadeirlan fodca. A ma' meddwi yn union fel addoli. Mi w't ti'n teimlo tu draw i chdi dy hun... yn rhwla arall... hefo rhywun uwch... yn llonydd... llonydd... fel gweddi. Y mae'r cyfrinwyr a'r meddw yn chwilio am yr un un peth... rhywbeth uwch na chdi dy hun. Y mwy cariadus, hudolus, mawr.

Santa Clôs: Fel darn o dinsel 'Dolig sydd yn dal i hongian o gornel sdafell a hithau'n fis Mehefin chwilboeth. Fel-a 'dw-i. Allan o le. Ddim yn perthyn. I bwy dwi'n perthyn? 'Im isio, Mam!... 'Im isio! Ond hogan o'dd hi 'i isio. 'Gwisga nhw! Gwisga nhw'! Ffrog a bonet a bwtîs. Dwi ddim isio mynd allan fel hyn, Mam. 'A faint ydy ei hoed hi?'
'Chwech!' 'O! ma' hi'n dlws.
A be' ydy dy enw di?...'
'Robat!'
'Paid ti a meiddio deud hyn'na eto. "Ceinwen" w't ti'n dalld. "Ceinwen" ydy dy enw di.'
A bob dwrnod 'Dolig mi o'n i'n ca'l bob dim o'dd Mam isio i Ceinwen ei ga'l. Peisdri Set. Llesdri te pinc, plasdig. Wendy House. Babi Dolls.

Dillad nyrs. My little pony... Cyrlyrs an' tongs
... Nicyrs bob lliwia... Lipsdics.

Sandra: *(o'r ceffyl pren)* Hen geffyl drwg! Hen geffyl drwg!
Yn cario ni'n dau.
Ty'd yn d'laen. Mae hi'n hwyr. Mae hi'n twllu.
'Dysga nhw yr hen jadan fach!
Dysga nhw'r hen bitj bach bowld!'
'A chychwynasant o Doffca, a gwersyllasant yn Alus, a chychwynasant o Alus, a gwersyllasant yn Reffidim.
A chychwynasant o Reffidim a gwersyllasant yn anialwch Sinai.'
'Tydy hyn'na ddim digon da... Ddim digon da!... Ddim digon da!...
Llofrudd wyt ti... MYRDYRYR...'

Dŵr yn yr afon
A CHERRIG YN SLIP...

Santa Clôs: Tu mewn i mi mi o'dd gin-i fy mywyd fy hun. Fi a 'Johnny Seven'. Y Johnny Seven o'n i wedi ei weld yng nghatalog Kays, Keti-Mê-Drws-Nesa'. Y gwn mwya' ffyrnig ag anghynnas welodd neb erioed oedd 'Johnny Seven'. Un munud mi o'dd o'n grenêd lonshyr. Wedyn yn fashín gyn. Wedyn yn saethu rocets. Saith o wahanol ynau mewn un gwn. A phan oedda chi wedi defnyddio'r chwech a rhan fwya o'r gelyn o'ch blaen chi yn farw gorn mi oedd yna un gwn bach ar ôl. Rifolfyr. Close combat. Hand to hand. A dyna lle fydda hi yn rhidens ar weiren bigog fy emosiyna-i: Mam! Yn dylla fel gogor sbrowts. A'r gwaed yn llifo ohoni hi fel tomato sôs wedi'i deneuo hefo finag. A finna'n rhydd yn fy nychymyg i fod yn hogyn.

Sandra: *(Corws – o'r flip chart)* Y mae un peth yn hanfodol wir am yr alcoholic: tydy-o na hi ddim angen neb arall. Mond yr alcohol.
Dyna'r berthynas sylfaenol. Dyn a'i botel. Yr unig berthynas. Y berthynas unig.

Jona: Mae 'na rwbath am fod yn Gelt a diod, 'sdi. Rhywbeth sanctaidd. Y Cymro, Y Gymraeg a Mêdd.

Diod sanctaidd ydy' mêdd i ni'r Cymry. Ac felly wrth yfed dwi'n mynd i mewn i le sanctaidd. I le fy hynafiaid. I ddolur fy nghenedl. Urien Rheged a'r hogia'.
I ymdeimlo â barbareiddiwch y Sacson tuag ato' ni.

Sandra: Iesu! brilliant! Mi wyt ti wedi medru gneud y cysylltiad hanfodol Gymraeg yna rhwng salwch y Cymry a'r hyn y mae'r Cymry eu hunain yn ei ddeud ydy' achos y loes: Saeson. Sacsonitis. Ond dwi'n licio'r syniad 'ma am sancteiddrwydd diod! Sancteiddrwydd chwdu dy berfadd ben bora i fwcad blastig, goch. Sancteiddrwydd piso hyd lawr am na fedri di anelu dy hen-beth yn iawn bellach. Sancteiddrwydd cachu yn dy drwsus. Sancteiddrwydd rhedag ar ôl dy wraig hefo cyllath. Ty'd a dipyn o'r sancteiddrwydd 'ma i mi. Gan y duw Mêdd. Rheged! Rhechan more like. Santeiddrwydd yfad dy chŵd dy hun oherwydd fod yna alcohol yn dal yno fo.

Jona: Ma' 'na rwbath yno ni ti'n dalld sy'n nes at y siwar na'r soffa.

Sant Clôs: Ond un 'Dolig mi gesh i'r gwn gora' gesh i 'rioed. Dicshynyri Susnag gin Anti Gracie. A mi gesh-i gadw fo. Oherwydd yn nhyb Mam rwbath i genod o'dd dicshynyris. Fasa hogia ddim isio'r ffasiwn beth. ''Na chdi, Ceinwen,' medda him, ''Na chdi

ffeind ydy' Anti Gracie.' Mam! Yda chi'n gwbod be' ydy' ***valitudinarian***? Be' ydy' ystyr ***jejune***, Mam? Mi o'n i'n medru 'i lladd hi hefo'i hanwybodaeth ei hun. Mam, be' ma' ***inchoate*** yn ei feddwl dwch? 'Dwn i ddim,' medda hi, yn ddychryn i gyd, fel petai hi'n syrendro i mi. 'Dwn i ddim.' A llythrenna'r geiria' 'n friwsion yn ei cheg hi. Oherwydd Cymraes thick oedd Mam.
(Ysgwyd y dîs)

Ifor: Trwy wydr y gín. Ei braich hir hi, a'i bys hi'n cosi ngên-i. Bob nos wrth 'n ochor i. Ar lyfnder derw ffug y bár. Yno mae hi. Y wraig peroxide blonde. Fel Marilyn Monroe. Hefo bronna' fel rhei Jayne Mansfield. A choesa' Jerry Hall. A bob nos mi fydda-i'n gadal drwy'r ogla cwrw, heibio fflachiadau'r optics ac ar 'y mraich-i... yn gafael yn dynn yn y mraich-i... mae'r gwacter mwya' a welish-i erioed. Gwacter peroxide blonde.

Sandra: Pwy w't ti'n 'i garu?

Jona: Tjoclet.

Sandra: Tjoclet

Jona: Tjoclet... A Janis Joplin a'i Mercedes Benz.

Sandra: Fydda dy rieni yn prynu tjoclet i ti? Fel gwobr? Am fod yn hogyn da?

Jona: A Lyci Bags? Ti'n cofio Lyci Bags?

Sandra: A be' o'dd yn y Lyci Bags?

Jona: Fawr o ddim. Hen dda-da ych-a-fi. A thegan fydda' di malu mewn chwinciad.

Sandra: Fawr o ddim.

Jona: Fawr o ddim.

Sandra: Dyna be wyt ti'n 'i ddeud amdana chdi dy hun? Ia? Fawr o ddim.

Jona: Na! Lyci Dip ydw-i.
Ti'n cofio rheiny ta?
Twb anfarth yn llawn o faw lli ar y sdondin dois ar y Maes yn Dre'. A mi fydda ti'n rhoi dy law i mewn a thynnu allan barsal bach. Ac fel arfar 'sdi be' o'dd yno fo? Ffyc all.

Sandra: Ffyc all.

Jona: Be w't ti? Poli parot?

Sandra: Ac yno chdi be' sy' 'na?
Ffyc all?

Jona: Priti Poli! Priti Poli! Priti Poli!

Sandra: Lwc ydy' bob dim, ia?
Lyci dip. Lyci bag. Be' am benderfyniad? Gweithredu? Cynllunio? Rheoli dy fywyd dy hun? Dewis?

Jona: Ti'n meddwl 'sw'n i'n medru bod yn lwcus hefo chdi, Mrs Heb-flewyn-o'i-le? Y? 'Sa' jans? 'Sw'n i w'th 'y modd ffendio lle ma' dy flerwch di. Dynas teits ta dynas sysbendyr belt w't ti? Y? Dynas teits ddudwn i.

Sandra: Pa mor bell o'r gwtar w't ti ti'n meddwl? Deufis? Blwyddyn ar y mwya'. Mainc yn y parc a phapur newydd drosta ti.

Jona: A mi fyddai'n gweld y sêr.

Sandra: Nid pan fydd hi'n piso bwrw, washi. Fedri di dybad garu'r meddwyn tu mewn i chdi? Yr un sydd wedi creu'r ffasiwn lanasd yn dy fywyd di ac ym mywydau pobol erill?

Jona: Ond nid fi oedd hwnnw. Ond rhywun arall. Fel cog anferth yn fy ngwthio fi o nyth pwy ydwi go-iawn-go-iawn.

Sandra: Na! Na! Chdi ydy hwnnw hefyd –y meddwyn. Chdi. Nid rhywun arall. Ond chdi. Taswn i'n rhoid sws ar dy dalcan di i be' fydda ti'n troi O! ddyn hyllbrydferth. Rhyw ddwrnod mi wnei di ddirnad.

Jona: A be' ydy' dirnad?

Sandra: Fel darllen cerdd a ti'n deall dim. Ond ti'n parhau i ddarllen. Nes un dwrnod mi w't ti'n gweld y gerdd. Nid hefo dy ymennydd. Ond hefo dy holl fywyd. Am i'r gerdd a dy brofiad di o fyw o'r diwedd ar y foment honno gyd-asio. A ma' dy benbleth di 'n troi'n weld mawr. Ti hefo fi?

Jona: Rwsud.

Sandra: O! ti hefo fi… bob cam o'r ffor'. 'Does yna ddim rwsud amdani. Dwi'n dy weld di.

Santa Clôs: Ond un dwrnod w'th i mi daflyd dillad budron Ceinwen i'r fasgiad olchi mi gesh-i hyd i botal ymhlith y budreddi hefo dŵr ynddi hi. A dyma fi'n 'i yfad o. A mi newidiodd 'y myd i – fela! Bingo!

Mam! medda fi, be' ydy ystyr y gair ***Smirnoff***, oherwydd am ryw reswm tydy-o ddim yn nicsiynyri Anti Gracie. A mi a'th hi mor welw â lard. Chymodd hi fawr i mi sylweddoli fod dŵr cudd Mam hyd y tŷ yn bobman. A dyma fi'n helpu'n hun. A dwi 'rioed wedi medru sdopio. A mi dda'th y dŵr rhyfeddol yma â Ceinwen a fi at 'n gilydd. Un dwrnod dwi'n cofio i Ceinwen yfad o'r unig botal lawn o'dd gin Mam ar ôl.

Wedi ei chuddio'n ddigon decha ym mag llwch yr hwfyr. A mi lenwish-i 'r botal hefo dŵr newydd. Dwn-i ddim ddaru Mam 'riod sylweddoli iddi hi'r noson honno yfad piso'i merch ei hun. Ond mi oedd o mor dryloyw â'r fodca. Mam! medda fi, be' gebyst ydy ystyr y gair ***micturition***?
(Ysgwyd y dîs)

Jona: A finna'n cerddad heibio ***Gwylfa*** diwedd Hydref. A gwynt o nunlla'n hyrddio'r dail marw i ryw nunlla arall. A sŵn sych y dail wrth godi'n un plancad frown yn glynyd yn 'y nghlyw i. Sŵn y dail marw yn symud

fel deud y gair 'sach' drosodd a
throsodd a throsodd a throsodd. A'r
un un gwynt yn 'y nharo finna
heddiw. A ngheg i'n sych grimp fel
dail marw. A mae'r syched yno' i 'n
anniwall. A dwi'n yfad ac yfad ac yfad
ac yfad ac yfad ac yfad ac yfad...

Sandra: Be' 'dy' rhyddid?
(ar y ceffyl pren) Bod yn ffrindia' hefo'r hyn sy'n dy
gaethiwo di ac felly ei ddirymu o.
Be' 'dy' rhyddid?
Edrych mewn drych a charu yr hyn
weli di yn ei grynswth.
Be' 'dy' rhyddid?
Adnabod dy derfyna' a byw mor
ddedwydd ag y medri di tu mewn
iddyn' nhw.
Be' 'dy' rhyddid?
Crïo rhwbath uffernol allan o dy
berfadd.
Be' 'dy' rhyddid?
Cofleidio'r plentyn bach clwyfedig
sydd o hyd y tu mewn i chdi yn ca'l
sderics ar ôl sderics ar ôl sderics yn
nos dy galon di...

Jona: ... lle ma'r wardrobs yn anfarth
(o bellter) a'r chest o' drôrs yn dy larpio di...

Sandra: Be' 'dy' rhyddid?

Y penderfyniad i ddewis ffordd arall.
Y fordd fechan, ddiarffordd.

Ifor: Hen esgus o afon oedd afon Carrog. Wrth ysgol Felinwnda. A finna'n wyth oed ballu. Hefo bâch ar linyn yn hongian o damad o bambŵ. A phry' genwair yn gwingo ar flaen y bâch. Yn pysgota o'r bont. Ond un o'r hogia'n deud:

''Do's 'na ddim pysgod yn hon 'sdi.' A finna'n aros. Yn disgwl. Yn dal i gredu er gwaetha'r dystiolaeth. O ben y bont. A golau'r haul fel Lwcosêd yn twalld rhwng y dail. A dwi'n hogyn bach ar y bont. Yn aros. Yn aros. YN AROS. Uwchben hen esgus o afon. Hefo genwair y mae'n amhosibl iddi hi ddal dim. Yn bedwar deg a chwech oed yn edrach ar Lwcosêd golau'r haul yn salwch y dail.

Santa Clôs: 'Ydy' hi'n bryd i chdi ddechra' gwisgo brashyr dwa', Ceinwen,' medda Mam un dwrnod ar ganol gwatjad ***Bonanza***. 'Be' ydy enw'r cwc yn y ***Pondorosa*** dwa'?' medda hi wedyn. Hop-Sing, medda finna. Erbyn hynny mi oedd Mam wedi rhoi'r gora i guddiad y poteli. Ac yno roedd y botal wrth 'i hochor hi fel cala, fel cyffes. A mi o'n inna erbyn hynny yn prynu fy sdwff fy hun hefo'r pres o'n i'n 'i ffendio ym mhwrs Mam. 'Hogia neis ydy' hogia Ben Cartwright,' medda Mam, 'Hoss, Little Joe ac Adam'. Mi o'dd dicshynyri Antie Gracie yn dipia' yn 'y ngho' fi.

Ond y geiria – O! y geiria – yn rhydd o'r print yn gandryll yn y nghrebwyll i. Omphalos. Oubliette. Scybalum. Oxymoron. Y cwbwl ohony' nhw wedi colli eu hystyron. Ac yn sefyll yn fan'no yn noethni eu sŵn. Fel bocsar wedi tynnu ei fenyg.
Dwi 'di ca'l job, Mam, medda fi. Santa Clôs yn Nelson. Wir yr! 'Ydy hi'n permanent?' medda Mam. Inconsiderable. Inconsiderate. Inconsistent. Inconsolable. Inconsonant. Inconspicuous. Inconstant. Inconstruable. Inconsumable. Incontestable. Incontiguous. Incontinent. Incontrollable. Medda finna'n gweiddi'n uchel yn y distawrwydd llethol, mawr tu mewn i mi.
(Ysgwyd dîs)

Sandra: Be' w't ti isio: hapusrwydd ta llawenydd?

Jona: Dybl sgotj.

Sandra: Nightclub ydy hapusrwydd. Deffro ben bora ydy llawenydd. Rhedag ar hyd glan afon nes wyt ti allan o wynt yn llwyr. Dyna i ti lawenydd. Hapusrwydd ydy' ymbincio i fynd allan a dychwelyd yn ôl yn llawn siomiant.

Jona: Dybl sgotj! Ma' gwrando arna chdi yn ddigon a throi unrhyw un yn alci. 'Does 'na ddim gwahaniaeth siŵr dduw rhwng hapusrwydd a llawenydd. Sbia mewn unrhyw eiriadur.

Sandra: Ond o'n i dan yr argraff dy fod ti'n licio geiria'. Gwefr ydy darganfod y gwahaniaeth rhwng dau air sydd ym meddyliau'r rhelyw yn golygu 'run peth. Ti ddim yn meddwl, Ddramodydd?

Jona: Byd wardrobs wedi eu cau. Byd chest o' drôrs yn llawn o hen geriach cyfrin o ddoäu pobol.
Cribau, bajis, watjis, un elastoplast, rasal, plasdar corn, tun gwag, green shield sdamps, botymau, seffti pins, hairpins, oil Morus Ifas. Lle llofftydd

llonydd yn llawn o ogla chwys traed, ogla anadl pobol oedd yma neithiwr, ogla rhyw. Sdêm a sdimia rhywun fu yma yn ysbryd o hyd yn y drych distaw. Ôl eu bodiau nhw ar y gwydr fel petai o'n dystiolaeth o rywbeth na ddylai fod wedi digwydd yn fan hyn. Mae'r lle 'ma 'n llawn o ddifaru. Ac o dan y gwely botel fodca wag. Ac o bellter sdafell arall ti'n clwad ***Dance me to the end of Love***.

Santa Clôs: Gwlâu cwsg anfoddog. Gwlâu troi a throsi. Gwlâu salwch. Gwlâu ffwcio. Gwlâu llanasd hunllefau. Gwlâu marwolaethau. Mae llofruddiaethau a chyrff yn fy meddwl i. Gobennydd sy'n socian o fy chwys hanner nos i. Arglwydd mawr! Lle ma'r botal? A hitha'n fam'ma fel tedi bêr wrth 'n ochor i. O! Mam O! Mam dwi'n 'i ddeud. A'i hagor hi. A rhoid têth wydr gwddw'r botal wrth fy ngwefusau. A sugno. A dechrau anghofio.

Ifor: Tydw-i ddim isio be' da chi'n 'i gynnig. Tydw-i ddim isio'ch bywyd bob dydd chi. Ac y mae alcohol am chwinciad yn cynnig cipolwg ar rywbeth arall, gwell, amgenach. Mae alcohol yn ddrws. Drws ffug efallai. Ond drws serch hynny i godi blys am y byd arall hwnnw y mae pawb sy'n onest yn chwilio amdano fo. Byd ysbryd a dychymyg. A naw wfft i fyd boreau Llun wrth basio'r bin lle ma' un condom sych ffwc weekend a dwy botal lefrith ar sdepan drws a'r tŷ yn ofnadwy o wag. Hei! Dwi'n 'i ddeud wrth y barmaid, when I run out of drink can I run into you? Are you full of impossible things too? A ti'n camu i'r gwacter mond i ganfod fod dy hen efaill – unigrwydd – yno'n barod. Yn gwisgo dy drôns di. Yn ogleuo fel wyt ti'n ogleuo. A'i llygada fo'n llawn o dy ddoe di. Dy hanesion cudd di. Dy euogrwydd di. Dy boen di. Ac yno mae o yn y drych. Yn sbio'n ôl arna ti. Full frontal.

Jona: A fy emosiyna' fi'n sdyc rwla rhwng sixty six a seventy four. Hefo Neil Sedaka a Rod Stewart. Miss American Pie. I am sailing i rwla-rwla. A ma' Kris Kristoffersen yn canu ***Help me make it through the night***. Mae mywyd i 'n un map o ganeuon.

Pob cân yn edliw hiraeth am rwbath-rwbath neu hon-a-hon. Tydy geiria

Susnag y caneuon ddim yn cario poen fel geiria Cymraeg. Yn Gymraeg dwi'n yfad. Brawddegau'r iaith fel wiars letrig yn cario shoc byw. Dwi'n troi'r miwsig i fyny yn y jiwcbocs yn y bambocs. ***When I need love***. A ma' gwrid fodca yn lledu drosta-i. I love you dwi'n 'i ddeud wrthi hi sy'n byw yn semi-detached fy ymennydd i. A ma'r ffôn yn canu. A ma'r ffôn yn diffodd. 'Jona! Jona!' dwi'n clwad rhywun yn ei weiddi o'r cyfandir arall, pell rochor acw, i'r drws. Pwy sy 'na dybed? Nhw? Hi? Duw? Neb? Ond tydwi ddim yn ateb. Mond rhoi hen swllt fy unigrwydd yn y jiwcbocs. ***Help me make it through the night***.

Sandra: Mi ofynis di gwestiwn i mi unwaith. Be' ydy dy boen di? Dyna ofynis di i mi. Ti'n cofio? Pery i mrawd bach foddi. Dyna dy atab di. Mi oedda ni'n hwyr yn dŵad adra un noson. Wedi bod yn chwara. Anghofio'r amsar. Mi o'dd hi 'di dechra twllu. A be' wnesh i yn lle mynd y ffordd hwya' ond penderfynu croesi'r afon. Ty'd, medda fi ar 'y nghefn i. Gee ceffyl bach. O garrag i garrag. Mi fydda ni'n gynt. Ond mi oedd yna ormod o li'. A mi faglash-i. Ac wrth drio arbad fy hun mi ollyngish-i ngafael ar Tomos ac mi gafodd o'i gario i ffwr'. Ac mi gutho nhw hyd iddo fo bum awr yn ddiweddarach. Yn farw. A byth ers hynny mi ydw-i wedi cario euogrwydd oes. A chael fy nghosbi hyd y dydd heddiw. Gan Mam a'i Duw. Ac er i Mam farw mi atgyfododd hi'n ddwrdio mewnol. A tydy duw byth yn marw. Ond yn waeth na hynny hyd yn oed, cosbi fy hun.

Jona: Tyda ni'n ddim byd ond cemegau. Labordy o deimladau gorffwyll.

Sandra: Cemegau ydy cariad hefyd?

Jona: Ia! Ia! Endorphins yn mynd yn bysyrc. Tango'r neurotransmitters.

Sandra: A ma'n siŵr dy fod ti felly'n gwbod be ydy' fformiwla cemegol enaid?

Jona: Dim eto.

Sandra: *(ar ei phen ei hun yn synfyfyriol)* Be' sy'n uffernol ydy nad oes yna ddiafoliaid allan yn fan' na yn ein rheoli ni. Mond ni ar ein pennau ein hunain. Mond fi yn edrych yn y drych. A hunllef y wybodaeth fod gen-i ddewis i feddwl yn wahanol ac i ymagweddu'n wahanol. Chdi ydy dy labordy dy hun. Fi ydy fy arbrawf fy hun. Ti'n clwad ogla mwg? Oherwydd dwi'n llosgi ceffyl pren sy'n siglo'n wyllt yn fy nghrebwyll i.

Jona: Be'?

Sandra: Dim otj! Be' wyt ti'n mynd i 'neud ydy'r peth.

Jona: Mynd i San Francisco hefo'r Flower Pot Men. Yn y jiwcbocs. A bloda' yn y ngwallt i. Mudo o mywyd.

Santa Clôs: *(ysgwyd dîs)* Ebargofiant. Mynd i ebargofiant. Mae o 'di mynd i ebargofiant. Anghofio. Anghofiaf. Anghofiodd. Anghofiaist. Anghofiasom. Chwara' cuddiad. A byth yn dŵad i'r fei. Y trydan yn diffodd yn tŷ ni esdalwm. A finna yn toddi i'r nos. Parddu ar barddu. Fel wynab y goliwogs ar y jaria marmalêd. Chewch chi ddim deud y gair, 'goliwog' bellach. Na bwrdd-du chwaith. Chewch chi ddim deud. Dim deud. Y geiria'. Yr holl eiria yn dadmer ar wydr oer y mudandod. A finna'n dadlath yng nghanol yr holl ogla fodca. Dwi'n datod botymau pwy ydw-i. Ymhlith yr holl boteli gweigion. Staen. Staen fel marc gwydr peint ar fat cwrw. Dwi'n diffodd yn y fodca. Dwi 'di mynd. Euthum.

(Taflu'r dîs)

Ifor: Bocha'i thin hi fel dau wy wedi'u lapio mewn hancas. Yn union fel y rhai fydda Huw Robas, Ty'n Llan yn 'i roid i mi pan oeddwn i'n blentyn. 'Hwda! Wya' cwennod i ti... dau ohonyn' nhw... lapia di nhw rŵan yn dy hancas bocad...
'Wya' cwennod medda fi wrth y barmaid. Y barmaid – perchennog y din. 'Wha' ya' talkin' about ya' Welsh purv,' medda hi. A dyna be' rydw-i yn 'i licio am barmaids – yr intylecd. Your arse, medda fi wrthi hi. Give me another, medda fi.
'But I haven't given you one yet', medda hi a chwerthin. Ti'n gweld – yr intylecd. If I told you a cliché, medda fi wrthi hi, would you to use another cliché come out with me? 'What kind of cliché would that be,' medda hi, 'Lorraine or cheese-an'-ham or the one that your wife doesn't understand you because you're a forty

six year old little boy and the
funfair's shut down for the winter?
So which cliché is it?' I've got loads-
o'-money, medda fi. 'What do you
think I am?' medda hi. I think
therefore I am. Cogito ergo sum.
Descartes you away into the sunset,
sweetie. Come with me on an
adventure. A dwi'n sdopio. A ma'
hi'n sbïo arna-i. A dwi'n gwbod 'i bod
hi'n chwerthin ar 'y mhen i. Yn glana
tu mewn iddi hi ei hun. 'Ma' dy Fam
yn chwerthin am 'n penna' ni,' medda
Nhad y pnawn Sul hwnnw wedi i
Mam fynd i ffwr' hefo ffrind penna'
Nhad ond nad oedd o byth wedyn yn
ffrind i Nhad heb sôn am ffrind
penna' ond yr un yr oedd Nhad yn
mynd i roid ffwcin wyalld drwy dy
ben di a fi'n dotio fod Nhad wedi
llusgo'r gair ffwcin o grombil ei
neisrwydd a'i ddillad Burton's
oherwydd i Mam ddeud wrth 'y Nhad
ti'n rhy neis i gachu ond ma' un peth
yn sâff i ti medda Mam dwi'n mynd
ag Ifor hefo fi a mi o'n i'n gwbod y
pnawn Sul hwnnw pan a'th Mam i
ffwr' hefo ffrind penna' Nhad fod
Mam ar 'i ffor' yn ôl i nôl i a mond
disgwl wrth y ffenasd yn rŵm ffrynt
fydda raid i mi ond tydy hi byth wedi

cyrraedd. BYTH. Mi roi ffwcin wyalld drwy dy ben di, medda fi wrth y gwacter lle 'roedd y barmaid funud yn ôl. A'r geiriau Cymraeg yn tystio i'r holl dywallt gwaed oedd yn sdelcian fel posibilrwydd aruthrol, parhaol tu mewn i mi. Where are you? Medda fi 'n dengid yn ôl i sgert y Susnag. 'Down here!' medda hi wrth godi'n saff o'r silff Britvic. A large one, medda fi. 'Show me then,' medda hitha'. Es i ddim adra y noson honno.

Sandra: *(yn syllu ar Ifor)* Ddaeth o ddim adra' y noson honno. Un tro mi ddaru ni syrthio mewn cariad hefo'n gilydd. A'r cwbwl sydd ar ôl rŵan ydy'r syrthio. Fo'n syrthio hyd y dodran. Syrthio i'w wely. Syrthio o'i wely. Syrthio hyd y pafin. A finna'n syrthio drosto fo pan mae o hyd lawr y lownj yn feddw dwll. Syrthio dros ddibin be' oedd yna un waith. Syrthio i'r nunlla tu mewn iddo fo'i hun. Syrthio o'r gwerthfawr i'r dim byd. I'r ffyc all.

Corws wrth y flip-chart:

Mae yna hen goel gwrach ymhlith alcoholiaid sy'n haeru na fedrwch chi

ddim ogleuo fodca. Ond hyd yn oed petai hynny'n wir – a chofiwch mai ffiloreg ydy hynny – fydda raid i chi ond ogleuo'r bywyd, ogleuo'r dyn cyfan, i ddirnad fod yr un o'ch blaen chi yn marw'n ara' bach.
Fod blerwch ei walld o, y slemps hyd ei ddillad o, yn sumtomau o'r llanasd yn ei galon o.

Ifor: Dwi isio rheswm dros hyn i gyd. Dwi isio gwbod pam? A dwi'n syllu ar y sêr. Casopeia. Castor a Pollux. A dwi'n dirnad ma cwestiwn heb atab iddo fo fyth ydy 'Pam?' Ond dwi'n dal i holi. Oherwydd mae yna gysur mewn holi. Clustog cwestiwn. PAM? Fel dyrnu desg. Ond am ba hyd y medrwch chi fyw hefo cwestiwn heb gael yr ateb.

Jona: Tybed wrth roi'r gora' i alcohol y byddai'n colli'r ddawn i sgwennu? Dwi angen yr ymyl, y gwyllt, y gwallgo' a'r cynddeiriog. Bod yn sobor fel sant! Bod yn ddiflas fel sant! 'Does yna 'run ddrama mewn daioni. Baricêd geiriau yn erbyn yr 'Ust!' Cyn dyfod yr 'Ust!' Sgwennu eto er mwyn y pleser o gael fy nghamddeall eto. Chwerthin am 'u penna' nhw drwy gyrtans y deud. Nhw: Mr ap a Mr ap. Cyfnewid hyn i gyd i olchi lloria', edrach ar ôl y plant, smwddio – smwddio! – hefo gwraig fach dwt mewn tŷ bach twt a'r ddaear ar ddim. Dwi ofn yr hyn sy'n cael ei alw'n normal a thyfu i gyffredinedd. Byd comon sens.

Sandra: Jona Fodca! Y rebal! Rebal drwy 'i oes! Os ydy-o'n symud, sdopia fo. Os ydy-o'n llonydd cicia fo i fynd. Os wyt ti'n credu yn y peth yma mae o'n credu yn y peth arall.
Hefo'r anffyddwraig mae o'n ŵr o ffydd. Hefo gŵr o ffydd anffyddiwr ydy-o. Os ydy hi'n bwrw glaw mi daeru du yn wyn 'i bod hi'n braf. Os ydy hi'n braf mi glywi di sdorm yr ochor arall i'r mynydd. Mynydd dy galon di, wrth gwrs. Mae o yn dy garu di heddiw. Fory mi gauith o'r drws yn glep yn dy wynab di. O! sgwenna ata-i, Cariad, oherwydd drennydd mi gei di'r llythyr yn ôl heb ei agor. Ond ofn ydy' hyn i gyd. Ofn perthyn. Ofn bod yn rhan o unrhyw beth boed deulu neu wlad neu ddaliadau. Ofn byw a dyheu am farw. Ofn marw a dyheu am gael byw. Ofn ofn ei hun yn y diwedd. Yn caru

casáu. Yn casáu caru. Isio bod yn rhywun arall tra'n dirmygu pob rhywun arall. Yn meddwl dy fod ti'n rhywun ac yn dilorni be' weli di yn y drych. Ac yn beio'r drych am ddeud y gwir wrtha ti. Fel dyn o'i go' mewn cwch sy'n suddo mi oedda ti'n gwagio'r byd o bob ystyr a phwrpas. O dduw. Gan ddeud wrth bawb am sefyll ar eu deudroed eu hunain yn y bydysawd dihîd. Ac ar yr un un pryd dy goesau di yn rhoid o dana ti. Ac ar lawr ar y pafin-fodca yn edrach i fyny ac yn gweiddi tu mewn ar y duw yr oedda ti wedi ei wrthod i dy achub di...

Jona Fodca: Yn fy awst mae ionawr am mai
chwefror y chwipiwr yr wyf yn medi.
'Drycha arna ti! Mae tachwedd y ddaear arna ti!'
Cwymp y dail! Cwymp y dail!
O! erchddyn. O! archddyn.
Adda efa wyf i! Addefaf!
A'r hen ddihenydd yn dwrdio o'm mewn.
'Watja di! Ma' Iesu Grist yn sbio arna chdi!'
'Dyna fydd dy ddiwedd di! Dwi'n deud wrtha ti rŵan!'
Rhagfuro! Rhagfuro!

Lle mae'r lle i'r dwyrain o Eden
cofiaf hynny byth a dinistr
jeriwsalem gan eden fardd ei
magwyrydd hi.

(ystum gweddio – ar ei benagliniau)

Tei rhad!
Y pwn wyt yn y nidoedd.
Sach hudder pob menyw
Dued dy ffwrnais
Seler datws a phus
Syllu'n daer ar bob clefyd
Pero y ci hudda
Ein baba barddonol
Ac adda ein dadinioll
Swêl y smwddiwn ninna ein dilladau
Ac – ac darwin i brofi aeth
Eithaf gwaed a ffagl a mwg
Carys! Eiddon! Tom! A Teyrnon!
A'r gwall a'r hen nodiant
    Ar-ben ac Ar-ben
Who's a pretty boy then! Who's a
pretty boy then!
Ma' 'na barodi ar 'n ysgwydd i
chwilia-i byth. Ah! Jim lad!

Sandra: A mi wranta i dy fod ti'n cerddad ar hyd y pafin – cerddad i nunlla, wrth gwrs – gan ofalu nad oes yna' run o dy draed di'n cyffwrdd y cracia' rhwng y slabia'. Oherwydd petai hynny'n digwydd mi fydda ti'n cael dwrnod ar y diawl. Wyt ti'n chwara'r gêm yna? Siŵr dduw dy fod ti! Neu os w't ti'n wynebu'r ochor chwith wrth feddwl am rywbeth da yna mi fydd o bownd o ddigwydd. Ond os mai wynebu'r ochor dde wyt ti yna mae hi'n ffinihadi arna chdi. Meddwl fel yna hefyd, do? Nid ffawd concrit, ofergoel cracia' sy'n dy reoli di. Ynot ti mae da a drwg. Dewis.

Jona: Shht! Mae 'na ***Uptown Girl*** ar y jiwcbocs yn y bambocs. Gwranda!

Santa Clôs: A'r brigau duon yn ymwthio o'r niwl a'r nos. Yn gawelli o wacter. Mor frau ydy pob dim. Nes 'n llenwi fi â'r ofn mwya'. Yn y pellter mi glywai seiren ambiwlans. Tu mewn i mi clywaf sŵn rhywun yn malu'n racs gyrbibion. Ei wyneb yn cracio a'i ddwylo'n troi'n llwch. Ymhell yn ôl yn ddoe. Ddoe sy'n drysu pob heddiw. Clywaf sŵn poteli'n sgrytian ar gefn lori. Sŵn brêcs yn sgrechian. A gwydr yn malu'n deilchion. Mor llonydd ydy'r meirwon. Dafnau dŵr yn sglefrio i lawr paen y ffenasd. Cyflymu. Cyplu. Yn un ffrwd hir. Gwaed ar y tarmac. A sŵn dîs yn ysgwyd yn y gwpan.

Sŵn car yn pasio. A'r llonyddwch wedyn. Clic y botal fodca wrth gael ei hagor. Pawb ar erchwyn ei sgrech ei hun. Migmas y brigau duon o'r niwl a'r nos.

Yn gawelli o wacter. Ribald. Reverie. Reveille. Reverbaration. Revelation. Oxymoron. Omphalos. Ordinal. Ordovician.

Ifor yn rhoi rhaff am ei wddf.

Saib hir

Golau'n diffodd. Golau'n dychwelyd yn raddol i ddangos y rhâff foel yn siglo.

Jona: A'r glaw wrth daro'r afon yn creu hanner coronau ar wyneb y dŵr. A Donna Summer yn canu ***McArthur Park***.
Jed Lysh oedd o i ni.
Os mêts mêts.
Uffar o foi.
Dal 'i ddiod.
'Lam lyshar.
Ffycin hell 'lam lyshar.
Iesu 'lam jôcs.
Llygad am y fodins.
Tina' barmaids
yn llenwi 'i ddulo fo.

Hen foi iawn.
Mêt.
Uffar o foi.
Iesu 'lam jôcs.
Tina' barmaids.
A Boby Vinton yn canu ***Blue Velvet***.
A'r glaw wrth daro'r afon yn creu
hanner coronau ar wyneb y dŵr.

Sandra: Dwi'n 'i gofio fo'n wahanol.
Galar ydy'r prîs yr yda ni'n 'i dalu am garu. Dwi wedi dy gladdu di eisioes yn fy nghof. Flynyddoedd yn ôl. A ti'n gwenu arna-i o album luniau'r gorffennol. Yn heini, yn wincio, yn ifanc, yn gneud sdimia, yn chwerthin, yn iach. Cyn i'r diod 'na dy rigo di'n ddarna' fel y mae rhywun yn rhigo llythyr gan hen gariad. A fflam eirias cariad gynt yn cledu'n wêr atgof.

Llais Ifor	**Sandra**
Fedrwn i ddim deud!	Ti'n nghlwad i?
Fedrwn i ddim deud!	
O'n i'n medru siarad	Ti'n nghlwad i?
ond yn methu deud dim.	
A dwi'n clwad pwysa'	
anferthol dy droed	Ti'n 'y nghlwad i?
ysgafn di yn sangu	
ar 'y medd i fel	
petai ti'n trio deud	

rhwbath wrtha-i.
A dy eiria' di fel
dafnau o law yn
taro'r pridd. Fel
sŵn adennydd pili
pala ar betalau blodyn. Ti'n 'y nghlwad i?
Ac o'r tywyllwch
rydw-i yn dyheu Ti'n 'y nghlwad i?
unwaith eto brofi
hefo ti fel y gwnaetho'
ni yr un ha' di-alcohol
hwnnw haul aur Creta
a thywod mân pinc a
phorffor a choch yng
Elafonisi.
Ti'n 'y nghlwad i?
Wyt ti? Ti'n 'y nghlwad i? Ty'n 'y nghlwad i?
Ti'n 'y nghlwad i?
Dwi ynghanol yr atebion
Tyd ar anturiaeth hefo fi.

(Sŵn y gair Lysh fel tonnau môr)

Nid ystyr y geiria' ond eu sŵn nhw. Sŵn poen.Griddfan geiriau.Gwegian geiriau. Hers gair yng ngorymdaith y deud. A'r geiriau duon yn gnebrwng o frawddegau.

Jona: Pam oedd raid iddi hi fynd?
Ni'n dau y noson honno o haf. Yn

siarad a siarad. A'r golau'n pallu. Nes diffodd yn llwyr. Diffodd yn dyner. A'n cyrff noethion ni yn y tywyllu yn dechrau colli eu ffurf a'u siâp. Nes yn y diwedd ymdoddi i'r düwch. A'r cwbwl oedd ar ôl oedd ein geiriau ni yn cris-groesi ei gilydd yn y fagddu. Yn ddall roedda ni wedi troi'n iaith. 'Dwi'n dy garu di,' medda ti. A'r geiriau'n suddo i'r distawrwydd lle roeddwn i. A'r distawrwydd hwnnw yn ymestyn i dy gofleidio di. Fel gwybodaeth yn lledu. Ond yn sydyn daeth cletsh rhwbath yn erbyn y ffenasd. Fel sŵn agor potal. A dyma fi'n taro'r gola' 'mlaen. 'Be' o' na?' medda hi, 'Be' o' na?' A'r dychryn mwya' ar ei hwyneb hi. Fel petai hi wedi gweld y dyfodol.

Santa Clôs: Weithia' mi fyddai'n codi'r ffôn a deialu rhif o dop 'y mhen. A mi fydd rhywun yr ochor arall weithia' yn deud 'Helo!' A mi fyddai'n rhoi'r ffôn i lawr. A deialu rhif arall. A mi fydd rhywun yr ochor arall weithia' yn deud 'Helo!' A mi fyddai'n rhoi'r ffôn i lawr. A deialu rhif arall. A mi fydd rhywun weithia yr ochor arall yn deud 'helo!' A dwi'n rhoi'r ffôn i lawr. Helo... Hel... HELO!

(Ysgwyd y dîs yn ffyrnig)

Sandra: *(wrth y flip chart Corws)* Ein meddyliau ni sy'n creu ein bydoedd ni. Yn y diwedd y mae'r allwedd i ddatgloi drws haearn alcoholiaeth yn siomedig o syml. Dim goleuni lôn Damascus, mae gen-i ofn. Dim o ddyfnderoedd diddorol ond hollol ffals Freud.
Ond hyn yn unig: Newidiwch eich patrymau o feddwl ac fe fydd hynny'n newid y dull y byddwch chi'n bihafio ac ymagweddu ac fe drawsffurfia hynny y ffordd yr yda chi'n teimlo – er gwell, wrth gwrs.

Jona Fodca: 'Does 'na ddim byd mwy unig na goleuadau'r 'Dolig yn chwifio yn y gwynt un min nos dechrau Ionawr mewn tre' fechan lan-môr a neb ar y sdryd on chdi. A sŵn potel yn rowlio hyd lawr yn rwla. A ti'n holi dy hun: Be' 'na-i? Aros allan ta mynd adra?' Ond ti'n cofio'n sydyn nad oes gin ti adra mond tŷ gwag wedi ei adeiladu o atgofion. A ma' dy law di yn mynd i bocad dy gôt di lle mae anasthetic y fodca yn disgwl yn amyneddgar. Mor amyneddgar â hwran yn y glaw. Ac uwch dy ben di un seren fawr, felen, blastig. Ac yn ei gŵydd hi mi wyt ti'n

dirnad gwastraff. A ma'r botal fodca'n dynn ar dy wefusa' di. Yn dynwared cusan. A ti'n cofio mai yn Minskey's yn Lerpwl y cafodd hi 'neud 'i gwallt ddydd dy briodas di. A ti'n 'i chlwad hi'n deud,
'Dwi'n licio ngwalld yn enwedig pan mae o'n cyrlio.' 'A gymeri di? Yn wraig i ti? Gwnaf! Gwnaf! 'Hogan o Lerpwl!' medda dy fam. 'Well ti Lerpwl o beth cythral,' medda hi drachefn 'na'r twll din Caerdydd 'na.' 'A dwi'n cerddad yn 'y mlaen. Fel petai gin i ddyfodol. Ac yn y mhen i yn rwla ma' be'-o'dd-'i-enw-fo yn canu ***I got you babe***. A ti'n y lle 'na rhwng crïo a dicter. Ar y lein. A ma'r holl ganeuon yn jiwcbocs dy gof di yn byscio ar draws ei gilydd yn sybwê dy ymennydd di. Ymlaen! Ymlaen! Peth mor farw ydy' llinell. ***I'm only halfway to paradise***. Ymlaen! Ymlaen! A mi rydwi yn dyheu am gael hyd i rywun i'w gasáu. Rhywun i'w feïo. A ti'n byseddu gwalld dy wraig. 'Yn enwedig pan mae o'n cyrlio.' A'i ogleuo fo. Sut beth ydy' ogla hiraeth? Ei gwalld lled-felyn hi. Pa liw ydy cofio? Ond does yna ddim byd yn dy ddulo di ond potal. ***All or nothing***. ***Keep on running***. ***Hold tight***.

Bellach dwi wedi rhedag allan o esgusion. Wedi dod i waelod y rhestr o bobol i'w beio. A mond un enw ar ôl. A f'enw i ydy hwnnw. A ma'r jiwcbocs wedi diffodd. Ac ar y trothwy hwnnw lle ma' chdi yn wynebu chdi ma' gin ti ddewis. Dewis byw. Dewis marw. A'r frwydr yno-i rhwng cythlwng marwolaeth a gwanc cariad. O'r rhiniog oer y mae alcohol yn mynd a chdi iddo fo mewn tre' fechan lan-môr un min nos wedi'r 'Dolig. O! na bai yna'r ffasiwn beth â ffawd yn bod. Ysgwyd dîs a ma' gogwydd dy fywyd di a rhif yn cydymffurfio'n dwt, deidi, daclus. Hynny. Yn lle llanasd rhyddid. Uffern dewis.

Santa Clôs: Mi fuo Mam farw ar ganol brawddeg. Ond mi oedd hi'n baragraff llawn cyn i mi sylweddoli hynny. Sôn am y tywydd oeddwn i. Ma' hi'n ddwrnod braf allan hiddiw, Mam. A ma' siŵr bod Mam wedi mynd rhwng 'braf' ac 'allan'! Syrthio rhwng dau air fel 'tai. Mi orffenish i ddeud be' o'dd gin-i 'i ddeud am y tywydd a sylweddoli fod Mam wedi'n gada'l ni ond heb symud cam o'i lle. Peth fel'na ydy' marw ma raid. Y mynd disymud 'na. Sôn am y

tywydd a ma mynwent yn llenwi. A
mi o'dd 'i cheg hi'n llydan ar agor.
Fel petai hi ar fin sgrechian.
Neu fel petai hi o'r diwedd yn
chwilio am y gair iawn. Ond o blith
holl eiriau'r byd be' tybad oedd y gair
iawn ar yr union eiliad honno pan
wahanwyd Mam oddi wrth pwy oedd
hi. Am byth. A doedd yna ddim byd
ond llond ceg o fudandod. A'r glás ar
ei harffed hi'n wag. Ac ar ei sgert hi
gylch crwn, tamp. O fodca. A ma fi'n
sylweddoli – fel sioc – ma sgotjblod
o'dd defnydd sgert Mam. A mi
fedrish i grïo. Ond dwn i ddim o lle
dda'th y dagra'. Fel petai nhw'n
ddagra' rhywun arall oedd yn trio
dŵad allan ohono-i ac wedi trio
erioed. Ac am be' yr oeddwn-i yn
crïo? Am yr holl golli siŵr o fod.
Dyna pam ma' pobol yn crïo, ia
ddim? A cheg Mam o mlaen i yn ogof
o wacter. Ca'l di'r Fam yn rong a mi
gei di bob cythral o bob dim arall yn
rong. Golem dwi'n 'i fentro o hen
eiriadur o gin i ers talwm.
Golem.
Medda hogynhogan Mam.

(Mae o'n gosod y dîs ar lawr ac yn mynd am allan)

Jona: Mor llonydd â natur pan fo eira'n disgyn. A'r eira'n troelli rhwng blerwch y coed noethion.
A'n llaw i yn ymestyn am allan. Nid i chwilio bellach. Nid i ymbalfalu. Ond i ddal. Dal y plu eira. Y plu eira sy'n toddi'n llymaid ar boethder fy nghnawd i. Y dasg amhosibl. Fel trio newid y gorffennol. Trïo newid fy rhieni. Trïo newid pobol erill. Trïo newid hanes. Trïo newid ddoe. A dwi'n dal fy llaw yn heth yr eira. Am hydion ac am hydion. Nes ma' hi'n diferyd. Diferyd o amhosibilrwydd. A dwi'n 'i thynnu hi'n ôl. Yn ôl ataf fi fy hun. Yn ôl i heddiw. Yn ôl i pwy ydwi. Fel ildio. Fel rhoi'r gorau. Fel gollwng gafael. A dwi'n troi i chwildro'r ochor dde. Fel dewis. Lle mae'r eira'n lluwchio. Fel sdorm o bapur gwyn. A mi glywa-i ogla geiriau gwahanol. Sawr iaith newydd.

Sandra: *(yn clirio'i phethau: nodiadau, y flip chart ag ati. Corws)* Oes yna wirionedd yn yr honiad a glywir yn aml ymhlith alcoholiaid: 'mi gesh-i fy ngeni'n alcoholic.' Os felly, ofer ydy' deud wrthyn nhw 'Sdopiwch!' 'Rhowch gora' iddi hi!' 'Peidiwch!' Gan fod geiria' ac ymadroddion o'r fath mor ddiwerth â cheisio rhwystro llong ryfel hefo bwa saeth. Oherwydd nid â rheswm yr yda chi'n delio ond â grymoedd mwy cyntefig cynnar. Ba-Ba emosiynol. Baban yn y bôn ydy' pob alcoholic. Rhywun sydd ddim wedi tyfu i fyny'n iawn. Nid oedolyn. Ac y mae o'n gwbwl gaeth. Ond y mae o hefyd yn hollol rydd. A rhwng y ddeubeth – fel pont – y mae'r gallu i ddewis. Camlas i'r gwahanol. A phoen – arswydus ar adegau – y croesi hir.

Mae hi'n daffod cwlwm crogi y rhaff. Mae hi'n rhoi sws ar dalcen Jona. Mae Sandra'n gadael.

Golau ond ar Jona.

Jona: A'r haul yn disgyn fel hen geiniog i gadw-mi-gei'r-môr. Yma ar Enlli. Fi. Hi. A'r plant. Wedi'r drin. A'r nos yn lledu. A'r môr yn chwalu ei hun yn ffrog briodas ar y creigiau. Y goleudy o 'mlaen i fel rhyw filwr coll o'r cynoesoedd. A chleddyf pelydr ei oleuni yn 'sgubo'r tir tywyll fel petai o'n chwilio am hen elynion. Sŵn adar-drycin-manaw fel gwaedd o frwydr hen. Rhywle'n fancw. Rhywle ynof. Gwelaf y golau'n ***Nant*** ymhle y mae fy nheulu yn chwarae ***Cludo***. Ia!

Ia! Wrth gwrs! Y Reverend Green
'nath yn y billiard rŵm hefo sbanyr.
Yn y torri lawr y mae'r cyfannu. Y
rhoi wrth 'i gilydd yn y rhigo. Trwsio
ond trwy falu. Ma' hwn 'di malu'n
racs, Mam. 'Ond mae o'n gyfa yn 'y
nychymyg i. Witja di befo. Dwi'n 'i
gofio.' Canfod ond ar ôl cracio. Be wn
i bellach os oes yna dduw neu beidio.
Mae yna ambell i gwestiwn sy'n rhy
fawr i'r ateb. Oes? neu Nagoes?
Waeth i mi ddewis *'oes'* ddim. Gan
fod y ddau ateb gyn wirioned â'i
gilydd. Ac am fod yna rai pethau
sydd wedi digwydd i mi sy'n
amhosibl eu hesbonio heb o leiaf y
posibilrwydd o dduw. Mi setla-i felly
ar adael cadair wag yn fy nychymyg.
Ac y mae'n rhyddid i bellach yn
dibynnu ar fy nghaethiwed i. Fy
ngollwng yn y carcharu. Oherwydd
yn fy salwch i y mae fy iechyd i. A
dyna pam dwi'n rhydd i ddweud:
Jona dw-i. A dw-i'n alcoholic. Y
pnawn yma.
Y flwyddyn alcoholic hon. Yn y
bywyd brau, prydferth hwn.

Golau'n diffodd yn araf.
Sŵn môr tawel yn llepian ar draeth.
Y gair 'Lysh' i'w glywed ymysg y tonnau
Dychwelyd i ddim ond sŵn y môr.

* * *